le petit livre des prénoms

Geneviève Sejourné

CE LIVRE A ETE REALISÉ
POUR LES EDITIONS DU CHÊNE
PAR COPYRIGHT

Une brassée de prénoms
Pour choisir
Celui de bébé
Une moisson de portraits
Pour rêver
Aux enfants
Du temps jadis
A l'enfant que vous étiez
A l'enfant tendrement attendu.

A

Aaron	m	1 juil	volonté intelligence
Abel	m	5 août	intelligence imagination

Abella	f	5 août	intuition rêverie
Abraham	m	20 déc	générosité courage
Achille	m	12 mai	hardiesse courage
Adalbert	m	23 avril	volonté dynamisme
Adam	m	1 nov	courage poésie
Adélaïde	f	16 déc	séduction générosité
Adèle	f	24 déc	réflexion fidélité
Adelin	m	20 oct	honnêteté moralité
Adeline	f	20 oct	amitié charme
Adolphe	m	30 juin	volonté séduction
Adolphine	f	30 juin	spontanéité efficacité
Adrien	m	8 sept	moralité volonté
Adrienne	f	8 sept	sincérité ambition
Agathe	f	5 fév	courage générosité
Aglaée	f	1 nov	intelligence volonté
Agnès	f	21 janv	sagesse persévérance
Aimable	m	18 oct	lucidité aisance
Aimé	m	13 sept	affection bonté
Aimée	f	20 fév	équilibre efficacité
Alain	m	9 sept	sagesse équilibre
Alban	m	22 juin	distinction courage
Albane	f	22 juin	élégance beauté
Albéric	m	15 nov	intelligence originalité
Albert	m	15 nov	imagination loyauté
Alberte	f	15 nov	grâce équilibre
Albertine	f	15 nov	grâce équilibre
Albin	m	1 mars	imagination loyauté
Albine	f	1 mars	intelligence imagination
Alette	f	4 avril	douceur générosité
Alex	m	22 avril	humour curiosité
Alexandra	f	22 avril	intelligence gentillesse

Alfreda	f	15 août	intuition affection
Alice	f	16 déc	bienveillance maîtrise de soi
Alida	f	26 avril	charme simplicité
Alexis	m	17 fév	humour curiosité
Alfred	m	15 août	imagination loyauté
Alexandre	m	22 avril	humour curiosité
Alexandrine	f	22 avril	intelligence gentillesse
Alexia	f	9 janv	intelligence gentillesse
Aliette	f	4 avril	douceur émotivité
Aline	f	20 oct	générosité franchise
Alix	f	9 janv	calme élégance
Aloïs	m	21 juin	générosité courage
Alphonse	m	1 août	efficacité réflexion
Alphonsin	m	1 août	efficacité réflexion
Alphonsine	f	1 août	dévouement tendresse
Amable	m	18 oct	force volonté
Amaël	m	24 mai	activité réflexion
Amance	m	4 nov	intelligence gaieté
Amand	m	6 fév	générosité courage
Amandine	f	9 juil	intelligence originalité
Amaury	m	15 janv	moralité émotivité
Ambroise	m	7 déc	charme sérieux
Amédée	m	30 mars	sensibilité imagination
Amédée	f	27 août	intuition rêverie
Amélie	f	19 sept	intuition affection
Anaël	m	1 nov	courage organisation
Anaïs	f	26 juil	calme élégance
Anastase	m	22 janv	organisation ponctualité
Anastasie	f	10 mars	sagesse persévérance
Anatole	m	3 fév	dynamisme intuition
Anatolie	f	3 fév	bienveillance maîtrise de soi

Andoche	m	24 sept	sociabilité intuition
André	m	30 nov	intelligence originalité
Andrée	f	30 nov	imagination intelligence
Ange	m	5 mai	charme sérieux
Angèle	f	27 janv	intelligence charme
Angélina	f	27 janv	intelligence charme
Angéline	f	27 janv	intelligence charme
Angélique	f	27 janv	intelligence charme
Anicet	m	17 avril	volonté émotivité

Anita	f	26 juil	grâce équilibre
Anna	f	26 juil	grâce équilibre
Annabelle	f	26 juil	harmonie fantaisie
Anne	f	26 juil	grâce équilibre
Annette	f	26 juil	grâce équilibre
Annibal	m	1 nov	activité volonté
Annick	f	26 juil	activité entrain
Annie	f	26 juil	gaieté vitalité
Anouck	f	26 juil	charme réflexion

Anselme	m	21 avril	force volonté
Anthelme	m	26 juin	persévérance curiosité
Anthony	m	17 janv	sensibilité imagination
Antoine	m	17 janv	sensibilité imagination
Antoinette	f	28 fév	imagination intuition
Antonin	m	2 mai	moralité émotivité
Apollinaire	m	23 juil	volonté sensibilité
Apolline	f	9 fév	calme élégance
Arabelle	f	1 nov	douceur émotivité
Arcady	m	1 août	serviabilité gentillesse
Archambaud	m	1 nov	activité intelligence
Archibald	m	1 nov	dynamisme intuition
Ariane	f	18 sept	séduction générosité
Arielle	f	1 oct	calme élégance
Aristide	m	31 août	sensibilité imagination
Arlette	f	17 juil	imagination intuition
Armance	f	8 juin	humour gaieté
Armand	m	8 juin	moralité émotivité
Armande	f	8 juin	humour gaieté
Armandine	f	8 juin	humour gaieté
Armel	m	16 août	sociabilité intuition
Arnaud	m	10 fév	persévérance honnêteté
Arnold	m	14 août	amabilité humour
Arsène	m	19 juil	patience ténacité
Arthur	m	15 nov	charme sérieux
Astrid	f	27 nov	courage tendresse
Athanase	m	2 mai	dévouement franchise
Auban	m	1 mars	intelligence persévérance
Aubane	f	1 mars	humour gaieté
Aubert	m	10 sept	intuition sociabilité
Aubierge	f	7 juil	dévouement tendresse

Aubin	m	1 mars	pondération logique
Aubry	m	1 mars	force volonté
Aude	f	18 nov	grâce équilibre
Audrey	f	23 juin	idéalisme courage
Augusta	f	29 fév	persévérance spontanéité
Auguste	m	29 fév	activité volonté
Augustin	m	28 août	sociabilité gaieté
Augustine	f	28 août	humour générosité
Aurélie	f	15 oct	dynamisme intuition
Aurélien	m	16 juin	charme patience
Aurore	f	13 déc	rayonnement sensibilité
Axel	m	21 mars	intelligence persévérance
Axelle	f	21 mars	bienveillance maîtrise de soi
Aymeric	m	4 nov	humour curiosité

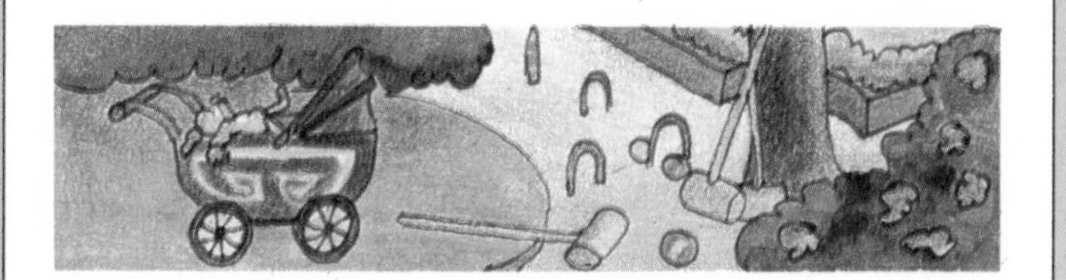

B

Balbine	f	31 mars	intelligence gentillesse
Balthazar	m	1 nov	intelligence générosité
Baptiste	m	24 juin	dynamisme intuition
Baptistin	m	24 juin	dynamisme intuition
Baptistine	f	24 juin	bienveillance maîtrise de soi
Barbara	f	4 déc	intuition rêverie
Barbe	f	4 déc	intuition rêverie
Barnabé	m	11 juin	réflexion intelligence
Barnard	m	23 janv	courage volonté
Barthélémy	m	24 août	force volonté

Bartholomé	m	24 août	force volonté
Basile	m	2 janv	drôlerie générosité
Bastien	m	20 janv	sociabilité intuition
Bastienne	f	20 janv	dynamisme intuition
Baudoin	m	17 oct	force volonté
Béatrice	f	13 fév	courage tendresse
Béatrix	f	13 fév	courage tendresse
Bénédict	m	16 mars	moralité émotivité
Bénédicte	f	16 mars	humour équilibre
Benjamin	m	31 mars	réflexion intelligence
Benjamine	f	31 mars	humour générosité

Benoît	m	11 juil	dévouement générosité
Benoîte	f	11 juil	intelligence originalité
Bérenger	m	26 mai	efficacité réflexion
Bérengère	f	26 mai	intuition affection
Bérénice	f	4 fév	persévérance spontanéité
Bernadette	f	18 fév	séduction générosité
Bernard	m	20 août	générosité réflexion
Bernardin	m	20 mai	générosité réflexion
Bernardine	f	20 mai	dévouement tendresse
Berthe	f	4 juil	intuition activité
Bertille	f	6 nov	dynamisme finesse
Bertin	m	16 oct	dynamisme volonté

Bertrand	m	16 oct	dynamisme volonté
Bertrande	f	16 oct	intuition vitalité
Betty	f	17 nov	maîtrise de soi séduction
Bienvenue	f	30 oct	amour bonne humeur
Bienvenue	m	30 oct	dynamisme gaieté
Blaise	m	3 fév	émotivité droiture
Blanche	f	3 oct	rêverie calme
Blandine	f	2 juin	affection volonté
Bluette	f	5 oct	élégance poésie
Bonaventure	m	15 juil	effacement efficacité
Boniface	m	5 juin	logique ponctualité
Boris	m	2 mai	générosité réflexion
Brice	m	13 nov	fidélité force
Brigitte	f	23 juil	serviabilité précision
Bruno	m	6 oct	activité intelligence

Calliste	m	14 oct	persévérance curiosité
Camille	m	14 juil	moralité émotivité
Camille	f	14 juil	intuition rêverie
Candide	m	3 oct	réflexion intelligence
Candide	f	3 oct	persévérance spontanéité
Capucine	f	5 oct	serviabilité précision
Carine	f	7 nov	idéalisme courage

Carl	m	4 nov	intelligence générosité
Carlos	m	4 nov	intelligence générosité
Carmen	f	16 juil	générosité franchise
Carole	f	17 juil	serviabilité précision
Caroline	f	17 juil	serviabilité précision
Casimir	m	4 mars	volonté émotivité
Caste	m	22 mai	pondération logique
Catherine	f	25 nov	idéalisme courage
Cécile	f	22 nov	calme élégance
Cédric	m	7 janv	activité intelligence
Céleste	f	14 oct	générosité franchise
Célestin	m	19 mai	sensibilité imagination
Célestine	f	19 mai	générosité franchise
Célia	f	22 nov	calme élégance
Céline	f	21 oct	moralité volonté
César	m	26 août	activité volonté
Césarine	f	12 janv	sagesse persévérance
Chantal	f	12 déc	amabilité droiture
Charlemagne	m	4 nov	intelligence générosité
Charles	m	4 nov	intelligence générosité
Charlotte	f	17 juil	douceur émotivité
Chloé	f	17 juil	intelligence gentillesse
Chrétien	m	16 déc	intelligence générosité
Chrétienne	f	16 déc	serviabilité précision
Christelle	f	24 juil	persévérance spontanéité
Christian	m	12 nov	droiture intelligence
Christiane	f	24 juil	persévérance spontanéité
Christine	f	24 juil	persévérance spontanéité
Christophe	m	21 août	volonté émotivité
Claire	f	11 août	générosité droiture
Clara	f	11 août	humour générosité

Clarence	f	12 août	vertu sérénité
Clarisse	f	12 août	fidélité force
Claude	m	15 fév	dynamisme gaieté
Claude	f	6 juin	accomplissement aisance
Claudette	f	6 juin	accomplissement aisance
Claudia	f	6 juin	accomplissement aisance
Claudine	f	6 juin	douceur émotivité
Claudius	m	15 fév	dynamisme gaieté
Clélia	f	13 juil	organisation ponctualité
Clémence	f	21 mars	dévouement activité
Clément	m	23 nov	serviabilité gentillesse

Clémentine	f	23 nov	séduction générosité
Clodomir	m	1 nov	réflexion intelligence
Clotilde	f	4 juin	dévouement audace
Clovis	m	25 août	dynamisme autorité
Colas	m	1 nov	force volonté
Colette	f	6 mars	séduction intelligence
Colin	m	6 déc	moralité émotivité
Coline	f	6 déc	bienveillance élégance
Colombe	f	31 déc	intuition charme
Côme	m	26 sept	loyauté curiosité
Conrad	m	26 nov	dynamisme gaieté
Constance	f	8 avril	sagesse persévérance

Constant	m	23 sept	affection curiosité
Constantin	m	21 mai	hardiesse gaieté
Coralie	f	18 mai	idéalisme courage
Corentin	m	12 déc	pondération logique
Corentine	f	12 déc	moralité volonté
Corinne	f	18 mai	débrouillardise imagination
Cornille	m	16 sept	sérieux discrétion
Crépin	m	25 oct	activité intelligence
Cunégonde	f	3 mars	générosité franchise
Cyprien	m	16 sept	activité réflexion
Cyr	m	8 août	intelligence originalité
Cyrille	m	18 mars	audace gentillesse

D

Dahlia	f	5 oct	dévouement tendresse
Daisy	f	16 nov	fantaisie éclat
Damien	m	26 sept	générosité charme
Daniel	m	11 déc	intelligence persévérance
Danièle	f	11 déc	intuition affection
Dante	m	13 sept	activité intelligence
Dany	f	11 déc	intuition affection
Daphné	f	1 nov	spontanéité efficacité
Daria	f	25 oct	douceur émotivité
Darius	m	25 oct	générosité charme
David	m	29 déc	réflexion affection

Déborah	f	21 sept	tendresse force
Delphine	f	26 nov	rayonnement sérénité
Denis	m	9 oct	intelligence gaieté
Denise	f	15 mai	humour organisation
Désiré	m	8 mai	efficacité réflexion
Désirée	f	8 mai	dévouement tendresse
Dévote	f	27 janv	courage tendresse
Diane	f	9 juin	charme simplicité
Didier	m	23 mai	bonté calme
Dieudonné	m	10 août	hardiesse bonne humeur
Dimitri	m	26 oct	activité réflexion
Diomède	m	1 nov	sociabilité ingéniosité
Dolorès	f	15 sept	affection volonté
Dominique	m	8 août	organisation ponctualité
Dominique	f	8 août	bienveillance maîtrise de soi
Domitille	f	7 mai	persévérance spontanéité
Donald	m	15 juil	intelligence originalité
Donatien	m	24 mai	dynamisme intuition
Donatienne	f	24 mai	bienveillance maîtrise de soi
Dora	f	9 nov	calme élégance
Dorian	m	25 oct	force volonté
Dorine	f	9 nov	force activité
Doris	f	6 fév	séduction générosité
Dorothée	f	6 fév	générosité franchise
Druon	m	16 avril	intelligence originalité

E

Edgar	m	8 juil	drôlerie générosité
Edith	f	16 sept	courage générosité
Edmée	f	20 nov	volonté activité
Edmond	m	20 nov	charme sérieux
Edmonde	f	20 nov	intelligence charme
Edouard	m	5 janv	témérité vivacité

Edouardine	f	5 janv	idéalisme courage
Edwige	f	16 oct	sagesse persévérance
Eglantine	f	23 août	moralité volonté
Eléonor	f	25 juin	séduction franchise
Eliane	f	4 juil	volonté activité
Elie	m	20 juil	activité intelligence
Eliette	f	20 juil	raffinement intelligence
Elisabeth	f	17 nov	tendresse sérieux
Elise	f	17 nov	tendresse élégance
Elisée	m	14 juin	intuition compréhension
Elodie	f	22 oct	courage tendresse
Eloi	m	1 déc	patience obstination
Elphège	m	12 mars	dynamisme gaieté
Elsa	f	17 nov	dynamisme ouverture d'esprit
Elsy	f	17 nov	dynamisme ouverture d'esprit
Elvire	f	16 juil	générosité franchise
Élyette	f	20 juil	calme élégance
Emeline	f	27 oct	amour vertu
Emeric	m	4 nov	générosité réflexion
Emile	f	22 mai	humour curiosité
Emilie	f	19 sept	grâce équilibre
Emilien	m	12 nov	humour curiosité
Emilienne	f	5 janv	grâce équilibre
Emma	f	19 avril	amour rayonnement
Emmanuel	m	25 déc	serviabilité intelligence
Emmanuelle	f	25 déc	rayonnement intelligence
Enguerran	m	25 oct	loyauté curiosité
Enrique	m	13 juil	amabilité humour
Epiphane	m	11 mai	force volonté
Erasme	m	2 juin	sérieux savoir
Eric	m	18 mai	courage amabilité

Ernest	m	7 nov	dynamisme créativité
Ernestine	f	7 nov	activité intuition
Erwan	m	19 mai	équilibre don artistique
Estelle	f	11 mai	grâce simplicité
Esther	f	1 juil	charme équilibre
Etienne	m	26 déc	honnêteté dynamisme
Etiennette	f	26 déc	générosité sensibilité
Etoile	f	11 mai	tendresse persévérance
Eudes	m	19 août	courage organisation
Eugène	m	13 juil	gentillesse prudence
Eugénie	f	7 fév	intelligence générosité
Eustache	m	20 sept	charme sérieux
Eva	f	6 sept	charme élégance
Evariste	m	26 oct	persévérance réflexion
Eve	f	6 sept	charme élégance
Evelyne	f	27 déc	courage tendresse
Evrard	m	14 août	franchise créativité

F

Fabien	m	20 janv	rapidité simplicité
Fabienne	f	20 janv	bonté simplicité
Fabiola	f	27 déc	élégance distinction
Fabrice	m	22 août	charme ponctualité
Fanny	f	26 déc	douceur originalité
Félicie	f	7 mars	tendresse disponibilité
Félicien	m	9 juin	intuition équilibre

Félicienne	f	9 juin	douceur force
Félicité	f	7 mars	force attention
Félix	m	12 fév	sociabilité raffinement
Ferdinand	m	30 mai	émotivité sérieux
Fernand	m	27 juin	ténacité endurance
Fernande	f	27 juin	franchise ouverture
Fidèle	m	24 avril	intuition dynamisme
Firmin	m	11 oct	intelligence humour
Fleur	f	5 oct	imagination intelligence
Flora	f	24 nov	imagination intelligence
Florence	f	1 déc	rayonnement équilibre
Florent	m	4 juil	générosité sérieux
Florentin	m	24 oct	générosité sérieux
Florentine	f	24 oct	tendresse amabilité
Florian	m	4 mai	générosité persévérance
Florine	f	1 mai	gentillesse détermination
France	f	9 mars	intelligence activité
Francelin	m	4 oct	activité dynamisme
Franceline	f	9 mars	intelligence gentillesse
Francette	f	9 mars	intelligence gentillesse
Francine	f	9 mars	intelligence gentillesse
Francis	m	4 oct	équilibre dynamisme
Franck	m	4 oct	activité force
François	m	4 oct	volonté droiture
Françoise	f	9 mars	dynamisme gaieté
Franklin	m	4 oct	activité originalité
Frantz	m	4 oct	vivacité volonté
Frédéric	m	18 juil	autorité force
Frédérique	f	18 juil	maîtrise de soi gentillesse
Frida	f	18 juil	volonté sérieux

Gabriel	m	29 sept	intelligence travail
Gabrielle	f	29 sept	séduction bienveillance
Gaël	m	17 déc	générosité bonne humeur
Gaëlle	f	17 déc	finesse romantisme
Gaétan	m	7 août	courage ouverture d'esprit
Gaspard	m	28 déc	serviabilité force

Gaston	m	6 fév	curiosité tendresse
Gautier	m	9 avril	charme patience
Geneviève	f	3 janv	simplicité séduction
Geoffroy	m	8 nov	patience courage
Georges	m	23 avril	ténacité calme
Georgette	f	15 fév	rêverie patience
Georgia	f	15 fév	rêverie patience
Georgina	f	15 fév	rêverie patience
Gérald	m	5 déc	courage assiduité
Gérard	m	3 oct	générosité courage
Germain	m	31 juil	générosité humour
Germaine	f	15 juin	bienveillance équilibre
Gertrude	f	16 nov	activité sérieux
Gervais	m	19 juin	générosité équilibre
Gervaise	f	19 juin	idéalisme volonté
Ghislain	m	10 oct	volonté sensibilité
Ghislaine	f	10 oct	générosité charme
Gilbert	m	4 fév	courage bonté
Gilberte	f	11 août	disponibilité gentillesse
Gilles	m	1 sept	tendresse bonne humeur
Ginette	f	3 janv	humour gaieté
Gisèle	f	7 mai	romantisme finesse
Godefroy	m	8 nov	affection curiosité
Gontran	m	28 mars	puissance efficacité
Gonzague	m	21 juin	amabilité humour
Goulven	m	1 juil	humour curiosité
Grâce	f	21 août	courage tendresse
Grégoire	m	3 sept	activité générosité
Guillaume	m	10 janv	persévérance curiosité
Guillemette	f	10 janv	persévérance spontanéité
Gustave	m	7 oct	franchise équilibre
Guy	m	12 juin	loyauté curiosité

Gwennaël	m	3 nov	activité perspicacité
Gwennaëlle	f	3 nov	courage douceur
Gwendoline	f	14 oct	équilibre charme
Gwénola	f	3 mars	activité puissance

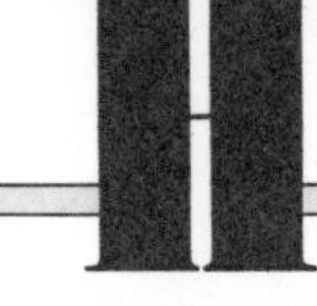

Hadrien	m	8 sept	sociabilité entrain
Hans	m	27 déc	témérité vivacité
Harold	m	1 nov	activité endurance
Harry	m	13 juil	courage drôlerie
Hector	m	1 nov	générosité humour
Héléna	f	18 août	intuition rêverie
Hélène	f	18 août	intuition rêverie
Héloïse	f	1 nov	générosité charme
Henri	m	13 juil	amabilité humour
Henriette	f	13 juil	serviabilité précision
Hercule	m	1 nov	gentillesse entrain
Hermine	f	9 juil	douceur sensibilité
Hervé	m	17 juin	volonté émotivité

Hilaire	m	13 janv	organisation ponctualité
Hildegarde	f	17 sept	charme originalité
Hippolyte	m	13 août	gaieté courage
Homère	m	1 nov	curiosité culture
Honoré	m	16 mai	intelligence gaieté
Honorin	m	27 fév	intelligence gaieté
Honorine	f	27 fév	bienveillance accueil
Horace	m	1 nov	générosité réflexion
Hortense	f	5 oct	calme raffinement
Hubert	m	3 nov	sincérité persévérance
Hugues	m	1 avril	réflexion logique
Huguette	f	1 avril	pondération logique
Hugo	m	1 avril	efficacité réflexion
Hyacinthe	f	17 août	humour simplicité

I

Ignace	m	17 oct	intelligence persévérance
Igor	m	5 juin	intelligence générosité
Inès	f	10 sept	charme simplicité
Ingrid	f	2 sept	activité endurance
Irène	f	5 avril	équilibre gaieté
Irma	f	9 juil	activité bienveillance
Isaac	m	20 déc	courage organisation
Isabelle	f	22 fév	délicatesse honnêteté
Isaïe	m	9 mai	serviabilité conscience
Isidore	m	4 avril	hardiesse gaieté
Ivan	m	27 déc	intelligence bonté

Jacinthe	f	30 janv	aisance distinction
Jack	m	27 déc	générosité imagination
Jackie	f	8 fév	idéalisme courage

Jacob	m	20 déc	intelligence vivacité
Jacqueline	f	8 fév	dévouement activité
Jacques	m	25 juil	générosité séduction
James	m	25 juil	intelligence générosité
Jane	f	30 mai	bonté franchise
Jean	m	27 déc	drôlerie générosité
Jeanne	f	30 mai	loyauté bienveillance
Jeannette	f	30 mai	générosité franchise
Jeanine	f	30 mai	bonté loyauté
Jérémie	m	1 mai	imagination sociabilité

Jérôme	m	30 sept	combativité lucidité
Jessica	f	4 nov	force activité
Jim	m	25 juil	fidélité force
Joachim	m	26 juil	activité finesse
Joël	m	13 juil	force détermination
Joëlle	f	13 juil	équilibre raffinement
Johnny	m	27 déc	générosité entrain
Jonas	m	29 mars	volonté efficacité
José	m	19 mars	courage méthode
Joseph	m	19 mars	organisation maîtrise de soi
Joséphine	f	19 mars	serviabilité précision
Josette	f	19 mars	imagination intuition
Josiane	f	19 mars	idéalisme courage

Josseline	f	13 déc	calme raffinement
Judith	f	5 mai	obstination originalité
Jules	m	12 avril	ténacité jovialité
Julian	m	2 août	vivacité courage
Julie	f	8 avril	serviabilité précision
Julien	m	2 août	serviabilité gentillesse
Julienne	f	16 fév	précision douceur
Juliette	f	18 mai	ponctualité gentillesse
Justin	m	1 juin	volonté entrain
Justine	f	12 mars	humour générosité

K

Karen	f	7 nov	spontanéité efficacité
Karine	f	7 nov	persévérance calme
Katia	f	25 nov	idéalisme détermination
Katy	f	25 nov	idéalisme détermination
Ketty	f	25 nov	force spiritualité
Kevin	m	3 juin	témérité vivacité
Klébert	m	1 nov	efficacité détermination

L

Laetitia	f	18 août	rayonnement douceur
Lambert	m	17 sept	intelligence sérieux
Lara	f	26 mars	charme générosité
Larissa	f	26 mars	affection joie

Laure	f	10 août	humour bonté
Laurence	f	10 août	drôlerie générosité
Laurent	m	10 août	poésie obéissance
Lazare	m	23 fév	droiture curiosité
Léa	f	22 mars	sensibilité tendresse
Léandre	m	28 fév	ordre méthode
Léo	m	6 nov	vivacité volonté
Léon	m	10 nov	sociabilité gaieté
Léonard	m	6 nov	adaptation joie de vivre
Léone	f	10 nov	originalité bonté
Léopold	m	15 nov	courage joie

Leslie	f	17 nov	droiture volonté
Liane	f	22 mars	équilibre élégance
Liliane	f	4 juil	douceur intuition
Linda	f	20 oct	vivacité gentillesse
Line	f	20 oct	sensibilité décision
Lionel	m	10 nov	intelligence combativité
Lise	f	17 nov	tendresse courage
Lisette	f	17 nov	tendresse force
Loïc	m	25 août	sérieux assiduité
Lola	f	15 sept	générosité attention
Lorraine	f	30 mai	bonté honnêteté
Louis	m	25 août	sérieux endurance
Louise	f	15 mars	volonté activité

Louisette	f	15 mars	volonté gentillesse
Louison	m	25 août	volonté endurance
Luc	m	18 oct	enthousiasme énergie
Lucas	m	18 oct	cœur volonté
Luce	f	13 déc	créativité vivacité
Lucie	f	13 déc	affection générosité
Lucien	m	8 janv	séduction patience
Lucienne	f	8 janv	affection générosité
Lucile	f	16 fév	activité finesse
Lucrèce	f	15 mars	puissance dynamisme
Ludmilla	f	16 sept	générosité fantaisie
Ludovic	m	25 août	volonté force
Ludwig	m	25 août	activité serviabilité
Lydie	f	3 août	raffinement bonté

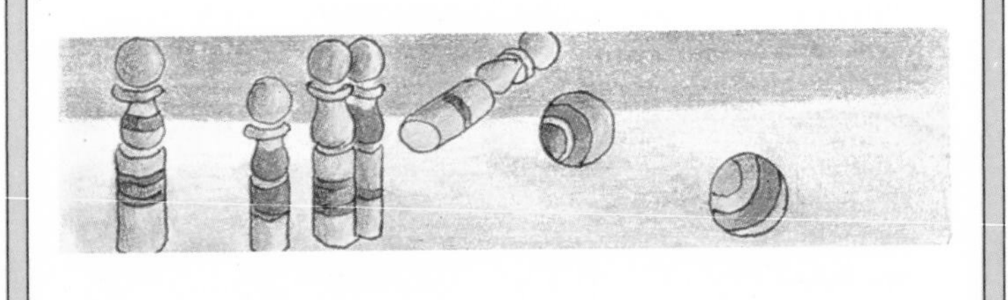

M

Madeleine	f	22 juil	générosité douceur
Magali	f	16 nov	réflexion ténacité
Maggy	f	16 nov	gaieté efficacité
Maïté	f	7 juin	force douceur
Malo	m	15 nov	bonté séduction
Manuel	m	25 déc	ténacité réflexion
Manuelle	f	25 déc	ténacité réflexion
Marc	m	25 avril	intelligence générosité
Marceau	m	16 janv	générosité efficacité
Marcel	m	16 janv	dévouement efficacité
Marcelin	m	6 avril	réussite générosité
Marceline	f	17 juil	dévouement ténacité
Marcelle	f	31 janv	spiritualité dignité

Marguerite	f	20 juil	bonne humeur activité
Maria	f	15 août	tendresse force
Marianne	f	9 juil	courage affection
Marie	f	15 août	rayonnement équilibre
Marielle	f	15 août	drôlerie réflexion
Mariette	f	6 juil	jovialité force
Marilyne	f	15 août	originalité courage
Marine	f	20 juil	simplicité vitalité
Marinette	f	20 juil	simplicité vitalité
Marion	f	15 août	dévouement espièglerie
Marius	m	19 janv	dynamisme intelligence
Marjolaine	f	15 août	tendresse courage
Marjorie	f	20 juil	gaieté travail
Marlène	f	15 août	sensibilité poésie
Marlyse	f	15 août	fantaisie imagination
Marthe	f	29 juil	organisation efficacité
Martial	m	30 juin	entrain camaraderie
Martin	m	11 nov	générosité simplicité
Martine	f	30 janv	gentillesse équilibre
Maryvonne	f	15 août	dévouement ténacité
Maryse	f	15 août	simplicité efficacité
Mathias	m	14 mai	activité sensibilité
Mathieu	m	21 sept	ingéniosité originalité
Mathilde	f	14 mars	intelligence méditation
Mathurin	m	1 nov	perspicacité efficacité
Maud	f	14 mars	ténacité distinction
Maurice	m	22 sept	serviabilité sincérité
Mauricette	f	22 sept	grâce intelligence
Max	m	14 avril	gaieté raffinement
Maxime	m	12 mars	entrain élégance
Maximilien	m	12 mars	générosité aisance

Maximilienne	f	12 mars	spiritualité élégance
May	f	20 juil	réflexion séduction
Médard	m	8 juin	maturité bonté
Mélaine	m	6 janv	volonté dynamisme
Mélanie	f	26 janv	activité intuition
Michaël	m	29 sept	activité réflexion
Michel	m	29 sept	dynamisme intériorité
Michèle	f	29 sept	simplicité grâce
Micheline	f	19 juin	délicatesse serviabilité
Mireille	f	15 août	loyauté activité
Modeste	m	24 fév	charme pondération
Monique	f	27 août	calme efficacité
Muguette	f	1 mai	dynamisme imagination
Murielle	f	15 août	persévérance simplicité
Mylène	f	15 août	perspicacité poésie
Myriam	f	15 août	force douceur
Myrtille	f	5 oct	droiture fantaisie

N

Nadège	f	18 sept	dévouement ponctualité
Nadette	f	18 fév	imagination rêverie
Nadia	f	18 sept	dévouement exactitude
Nadine	f	18 fév	spiritualité force
Nancy	f	26 juil	affection éclat
Natacha	f	26 août	droiture volonté
Nathalie	f	27 juil	vitalité gaieté
Nelly	f	18 août	obéissance sensibilité

Nestor	m	26 fév	assiduité sensibilité
Nicolas	m	6 déc	dévouement intelligence
Nicole	f	6 mars	équilibre travail
Nicoletta	f	6 mars	équilibre travail
Nina	f	14 janv	délicatesse précision
Ninon	f	15 déc	serviabilité amabilité
Noé	m	10 nov	sagesse équilibre
Noël	m	25 déc	réflexion invention
Noëlle	f	25 déc	pondération charme
Noémie	f	21 août	raffinement pondération
Norbert	m	6 juin	jovialité intuition

Octave	m	20 nov	ténacité courage
Octavie	f	20 nov	intelligence originalité
Odette	f	20 avril	confiance équilibre
Odile	f	14 déc	spiritualité exubérance

Olga	f	11 juil	distinction maturité
Olive	m	5 mars	structure simplicité
Olivette	f	5 mars	bonté réflexion
Olivier	m	12 juil	intelligence tendresse
Ombeline	f	21 août	originalité douceur
Onésime	m	16 fév	pondération logique
Oscar	m	3 fév	fantaisie bonne humeur
Oswald	m	5 août	précision énergie

P

Pablo	m	29 juin	sérieux discrétion
Paco	m	4 oct	bonne humeur intuition
Pacôme	m	9 mai	perspicacité jovialité

Paméla	f	16 fév	ingéniosité espièglerie
Paola	f	26 janv	distinction fermeté
Pâquerette	f	5 oct	ténacité finesse
Parfait	m	18 avril	intelligence fermeté
Pascal	m	17 mai	générosité maturité
Pascale	f	17 mai	fidélité générosité
Pascaline	f	17 mai	fidélité générosité
Patrice	m	17 mars	intelligence observation
Patricia	f	17 mars	intelligence sérieux
Patrick	m	17 mars	ingéniosité authenticité
Paul	m	29 juin	fidélité droiture
Paule	f	26 janv	délicatesse sensibilité
Paulette	f	26 janv	dévouement efficacité
Pauline	f	26 janv	originalité volonté
Peggy	f	8 janv	finesse sensibilité
Pélagie	f	8 oct	activité persévérance
Pénélope	f	1 nov	séduction patience
Perpétue	f	7 mars	fidélité bienveillance
Perrette	f	31 mai	imagination fantaisie
Perrine	f	31 mai	droiture simplicité
Pervenche	f	5 oct	élégance bonté
Pétronille	f	31 mai	imagination poésie
Philibert	m	20 août	gouaille vivacité
Philippe	m	3 mai	affection curiosité
Philippine	f	3 mai	sensibilité originalité
Philomène	f	13 août	sérieux générosité
Pierre	m	29 juin	maturité simplicité
Pierrette	f	31 mai	volonté bonne humeur
Pierrick	m	29 juin	force bonté
Placide	m	5 oct	aisance calme
Priscilla	f	16 janv	jovialité pondération

Prosper	m	25 juin	mémoire générosité
Prudence	f	6 mai	ténacité gentillesse
Pulchérie	f	10 nov	vitalité drôlerie

Quasimodo	m	1 nov	générosité originalité
Quentin	m	31 oct	force intelligence
Quiterie	f	22 mai	douceur obéissance

R

Rachel	f	15 janv	maturité enthousiasme
Rainier	m	17 juin	effacement force
Ralph	m	21 juin	autorité bonté
Ramon	m	7 janv	énergie gentillesse

Raoul	m	7 juil	logique bonne humeur
Raphaël	m	29 sept	aisance adaptation
Raphaëlle	f	29 sept	créativité séduction
Raymond	m	7 janv	ponctualité imagination
Raymonde	f	7 janv	générosité bonne humeur
Rébecca	f	23 mars	droiture affection
Régine	f	7 sept	équilibre distinction
Régis	m	16 juin	ambition dynamisme
Reine	f	7 sept	élégance jovialité
Réjane	f	7 sept	serviabilité simplicité
Rémi	m	15 janv	bonté intelligence

Renaud	m	17 sept	intelligence entrain
René	m	19 oct	loyauté gaieté
Renée	f	19 oct	fantaisie franchise
Richard	m	3 avril	jovialité courage
Rita	f	22 mai	audace séduction
Robert	m	30 avril	endurance patience
Roberte	f	30 avril	vitalité gentillesse
Robin	m	30 avril	courage générosité
Rodolphe	m	21 juin	réflexion bonté
Rodrigue	m	13 mars	amour hardiesse
Roger	m	30 déc	sérieux générosité
Roland	m	15 sept	courage observation

Romain	m	28 fév	authenticité fantaisie
Romaric	m	10 déc	charme émotivité
Roméo	m	25 fév	aisance tendresse
Romuald	m	19 juin	volonté audace
Ronald	m	17 sept	intelligence séduction
Ronan	m	1 juin	émotivité sérieux
Rosalie	f	4 sept	tendresse exubérance
Rose	f	23 août	grâce équilibre
Roseline	f	17 janv	affection fantaisie
Rosemonde	f	30 avril	volonté activité
Rosette	f	23 août	logique gentillesse
Rosine	f	11 mars	maturité aisance
Rudolph	m	21 juin	force originalité

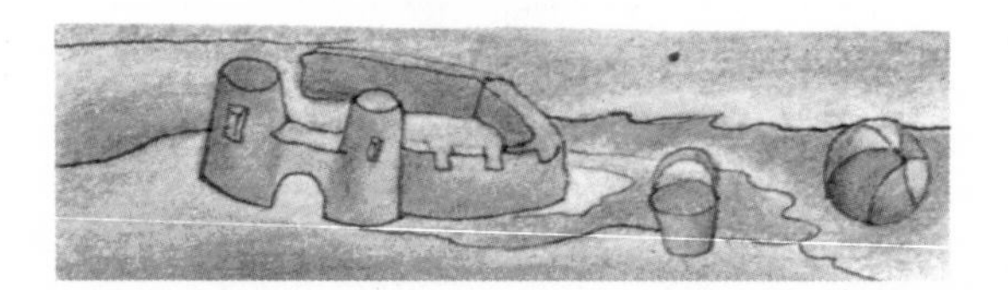

S

Sabine	f	29 août	dignité raffinement
Sabrina	f	29 août	curiosité exigence
Sacha	m	30 août	vitalité poésie
Salomé	f	22 oct	distinction pondération
Salomon	m	25 juin	autorité sensibilité
Salvador	m	18 mars	intelligence fantaisie

Salvatore	m	18 mars	gentillesse intelligence
Samson	m	28 juil	témérité tendresse
Samuel	m	20 août	intelligence espièglerie
Sandra	f	2 avril	aisance séduction
Sandrine	f	2 avril	générosité gentillesse
Saturnin	m	29 nov	obéissance loyauté
Sébastien	m	20 janv	audace application
Sébastienne	f	20 janv	réflexion finesse
Ségolène	f	24 juil	activité simplicité
Séraphin	m	12 oct	attention raffinement
Séraphine	f	12 oct	simplicité gentillesse
Serge	m	7 oct	enthousiasme don musical
Servan	m	1 juil	ambition efficacité
Séverin	m	27 nov	intelligence entrain
Séverine	f	27 nov	gentillesse bonne humeur
Sheila	f	22 nov	affection grâce
Sibille	f	9 oct	distinction précision
Sidonie	f	14 nov	indépendance adaptation
Siegfried	m	22 août	générosité poésie
Siméon	m	18 fév	responsabilité fidélité
Simon	m	28 oct	maturité spiritualité
Simone	f	28 oct	générosité autonomie
Solange	f	10 mai	courage intelligence
Soline	f	17 oct	ténacité réflexion
Sonia	f	18 sept	bonté courage
Sophie	f	25 mai	sensibilité imagination
Stanislas	m	11 avril	fermeté franchise
Stella	f	11 mai	rayonnement sérieux
Stéphane	m	26 déc	fantaisie mémoire
Stéphanie	f	26 déc	jovialité équilibre
Suzanne	f	11 août	énergie bonté

Suzette	f	11 août	simplicité gentillesse
Suzon	f	11 août	distinction moralité
Sylvain	m	4 mai	réflexion intelligence
Sylvaine	f	4 mai	moralité vivacité
Sylvère	m	20 juin	équilibre pondération
Sylvestre	m	31 déc	organisation précision
Sylvette	f	5 nov	drôlerie serviabilité
Sylviane	f	5 nov	simplicité spontanéité
Sylvie	f	5 nov	intelligence tendresse

T

Tamara	f	1 mai	fidélité efficacité
Tanguy	m	19 nov	franchise courage
Tania	f	12 janv	gaieté équilibre
Tatiana	f	12 janv	gaieté équilibre

Teddy	m	5 janv	réflexion bonté
Tessa	f	17 déc	activité originalité
Thaddée	m	28 oct	raison sérieux
Théodore	m	9 nov	originalité amabilité
Théophane	m	2 fév	bonne humeur intelligence
Théophile	m	20 déc	affection intelligence
Thérèse	f	15 oct	dévouement fidélité
Thibaut	m	8 juil	pondération générosité
Thiébaud	m	8 juil	générosité sérieux
Thierry	m	1 juil	énergie amabilité
Thomas	m	3 juil	logique moralité
Tino	m	14 fév	sensibilité imagination
Tiphaine	f	6 janv	élégance cœur
Toinon	f	28 fév	dynamisme bonne humeur
Toussaint	m	1 nov	fidélité dynamisme

U

Ulrich	m	10 juil	intelligence bonne humeur
Urbain	m	19 déc	activité fantaisie
Ursula	f	21 oct	activité dévouement

V

Valentin	m	14 fév	intuition fidélité
Valentine	f	25 juil	imagination finesse
Valère	m	14 juin	force intuition
Valérie	f	28 avril	tendresse volonté
Vanessa	f	4 fév	élégance affection
Vanina	f	30 mai	courage douceur
Véronique	f	4 fév	intelligence imagination
Vianney	m	4 août	sérieux efficacité
Victoire	f	15 nov	spontanéité volonté

Victor	m	21 juil	hardiesse gentillesse
Victoria	f	15 nov	autorité dignité
Victorin	m	15 mai	audace bonne humeur
Victorine	f	15 mai	intelligence vitalité
Vincent	m	22 janv	générosité spiritualité
Violaine	f	25 mars	douceur émotivité
Violette	f	5 oct	tendresse discrétion
Virginie	f	7 janv	grâce intelligence
Viviane	f	2 déc	franchise activité
Vivien	m	10 mars	générosité réflexion
Vladimir	m	15 juil	courage droiture

W

Walter	m	9 avril	sérieux tendresse
Wenceslas	m	28 sept	logique fidélité
Werner	m	19 avril	séduction générosité
Wilfried	m	12 oct	humour curiosité
William	m	10 janv	générosité persévérance

X

Xavier	m	3 déc	générosité douceur
Xavière	f	22 déc	adaptation élégance

Y

Yann	m	27 déc	générosité originalité
Yannick	m	27 déc	générosité originalité
Yolande	f	11 juin	générosité droiture
Yvan	m	27 déc	conscience serviabilité
Yves	m	19 mai	sérieux honnêteté
Yvette	f	13 janv	serviabilité simplicité
Yvon	m	19 mai	conscience serviabilité
Yvonne	f	19 mai	bonté gaieté

Zacharie	m	5 nov	intelligence originalité
Zéphyrin	m	20 déc	dynamisme finesse
Zéphyrine	f	20 déc	gentillesse attention
Zoé	f	2 mai	droiture douceur

ISBN 2.85108.384.8
Dépôt légal : 9994 - Mars 1985
34.0549.5
Imprimé en Espagne par Rieusset (Barcelone)

Dep. Leg. B-726